Philo Zenfants

儿童哲学智慧书

W9-DJL-384

幸福，是什么？

XINGFU, SHI SHENME?

[法]奥斯卡·柏尼菲　文
[法]卡特琳娜·莫里斯　图

李玮　译

接力出版社
Publishing House

桂图登字：20-2008-126

图书在版编目（CIP）数据

幸福，是什么？/（法）柏尼菲著；（法）莫里斯绘；李玮译 . —南宁：接力出版社，2009.10
（儿童哲学智慧书）
ISBN 978-7-5448-0975-7

I. 幸…　II. ①柏…②莫…③李…　III. 图画故事－法国－现代
IV. I565.85

中国版本图书馆 CIP 数据核字（2009）第 165818 号

责任编辑：曲少云　赵　轩　　美术编辑：范玲玲
责任校对：贾玲云　　责任监印：刘　元
媒介主理：耿　磊　　版权联络：谢逢蓓

社长：黄　俭　　总编辑：白　冰
出版发行：接力出版社
社址：广西南宁市园湖南路 9 号　　邮编：530022
电话：0771-5863339（发行部）　　010-65545240（发行部）
传真：0771-5863291（发行部）　　010-65545210（发行部）
网址：http://www.jielibeijing.com　　http://www.jielibook.com
E-mail:jielipub@public.nn.gx.cn

经销：新华书店

印制：北京瑞禾彩色印刷有限公司
开本：710 毫米 ×1000 毫米　　1/16
印张：6　　字数：30 千字
版次：2009 年 10 月第 1 版　　印次：2009 年 10 月第 1 次印刷
印数：00 001—10 000 册
定价：19.80 元

孩子是天生的哲学家

　　孩子们总是对世界充满了疑问和好奇。他们不时地向爸爸妈妈抛出各种各样的问题，有的单纯稚嫩，有的古灵精怪，有的则令人惊奇，还有的更引出一连串其他的问题。人类的思想是一条看不到尽头的路，孩子们更是天生的哲学家，他们的问题涉及许多带有哲学意味的思考，例如对于"生命"、"爱"、"美丽"和"好与坏"的思索，甚至连提问本身都显得意义非凡。这些疑问是否能够得到解答、能够得到怎样的解答，都直接影响着孩子们未来对自己、对他人、对社会、对这整个世界的看法。此时，面对着数不清的为什么，家长们该如何应对呢？

　　作为法国最畅销的儿童哲学图画书，"儿童哲学智慧书"系列丛书特别搜集了孩子们最困惑、最常问的一些问题，通过问答的形式，帮助孩子解决心中的困惑。家长与孩子们一起阅读，一同思考，不仅可以将孩子心中的疑问扫除，更重要的是可以在问答引导之中，培养孩子独立思考、独立判断的习惯和能力，让孩子了解自己，并形成独立自主和负责任的人格。相信在这个过程中，受益的将不仅仅是孩子，家长们也会在思索之后有所收获。

奥斯卡·柏尼菲

智慧是生命中最绚丽的花朵

每个孩子都是上天的宠儿，他们快乐嬉戏于他们的自我世界，他们充满好奇而宠辱不惊，他们充满灵性而悠然自得；他们思维活跃，敢于质疑，喜欢思考，有着各种奇思妙想；他们都是天生的哲学家。

哲学的本意——爱智慧，这正是人的自然本性。然而，很多孩子上学之后，觉得求知成了人世间最大的痛苦。他们被各种充满说教且毫无童趣的读物所包围，时间与大脑都被填得满满的，失去了体验与思维的自由空间。于是，很多孩子原本发散的思维逐渐收敛，原本亮晶晶的眼睛逐渐变得黯淡无光……

毫无疑问，这是教育的一种缺失。家长们在望子成龙的急切中已经迷失了方向，盲目选择，然后把自认为好的思维全部灌输给孩子，完全忘了孩子也是一个独立的生命个体——有选择与思考的自由，失去了对生命的尊重。也许就社会面、知识面而言，成人比孩子懂得多些，但是并非所有的范围及其理解的深度都比孩子强。家长不要急着用成人的思维去填充孩子的世界，更别去扼杀孩子喜爱求知与探索的天性，给他们一个开放思维的空间，相信他们能够快乐地思考问题，并在这种思考中获得智慧。

从保护孩子求知和探索的天性出发，家长可通过有益的读物引导孩子进行思考与创造，开启他们的智慧之门，令孩子在智慧的沐浴之下，如同在春风中萌芽的嫩叶，一片青葱翠绿……此时的家长，只需侧耳聆听孩子生命花开的声音。

这套"儿童哲学智慧书"系列图画书，采取连续问答的方式，引导孩子独立思考并最终找到答案，以此培养孩子独立自主的性格和敢于质疑求索的精神。同时，这也是为家长准备的一场智慧盛宴，让家长在与孩子的共同阅读中，突破传统的思维模式，重新建立一种与孩子同步的"全纳思维"。帮助家长深入孩子的内心，让父母和孩子一起成长、共同探索智慧的奥秘。

赏识老爸　周　弘
2009年8月

我很欣喜地看到，这套看似平常的图书可以让天真的孩子重新发现自己的价值，书中平实的文字用最简单的方式告诉每一个读者，道德、原则与幸福并非复杂的奥义，而是非常平凡的举手之劳与触手可得。

——青年评论家、中国作家协会会员　韩　晗

接力出版社新近引进出版的这套"儿童哲学智慧书"是一套深入浅出、可读性强的教育读本。初看这套著作，我非常欣喜。对于父母来说，这套书完全可以作为孩子早期教育的教材。因为我们的孩子现在太缺乏这样一套关于幸福、理想与道德的读本了。对于子女的教育，我相信这套书可以起到奠基石的作用。

面对处于成长期的孩童，我们不但需要尊重他们的阅读需要、接受需要，更要从精神上予以足够的关怀。毕竟对于所有负责任的父母而言，孩子们的成功，是他们一生中最大的希望——而一个好的起始，才足以让他们有能力在日后的航程中面对一切未知的风雨。

——韩晗父亲　韩鄂辉

目 录

怎么知道
你是幸福的呢？

幸福来临时，我能
感受到它的存在。

对，
可是……

有时候，不幸福的人会不
会误以为自己很幸福呢？

人会不会身在福中不知福呢？

你能知道每个人心中在想
什么吗？

知道某种幸福，
就意味着你能
感受到这种幸福吗？

当幸福远去时，
我才知道幸福曾经
陪伴着我。

对，
可是……

记忆，可以选择加工吗？

有时，人们会不会为了逃避
现在而美化过去呢？

不幸福时，你能更好地
认识自己吗？

你相信永恒的幸福吗？

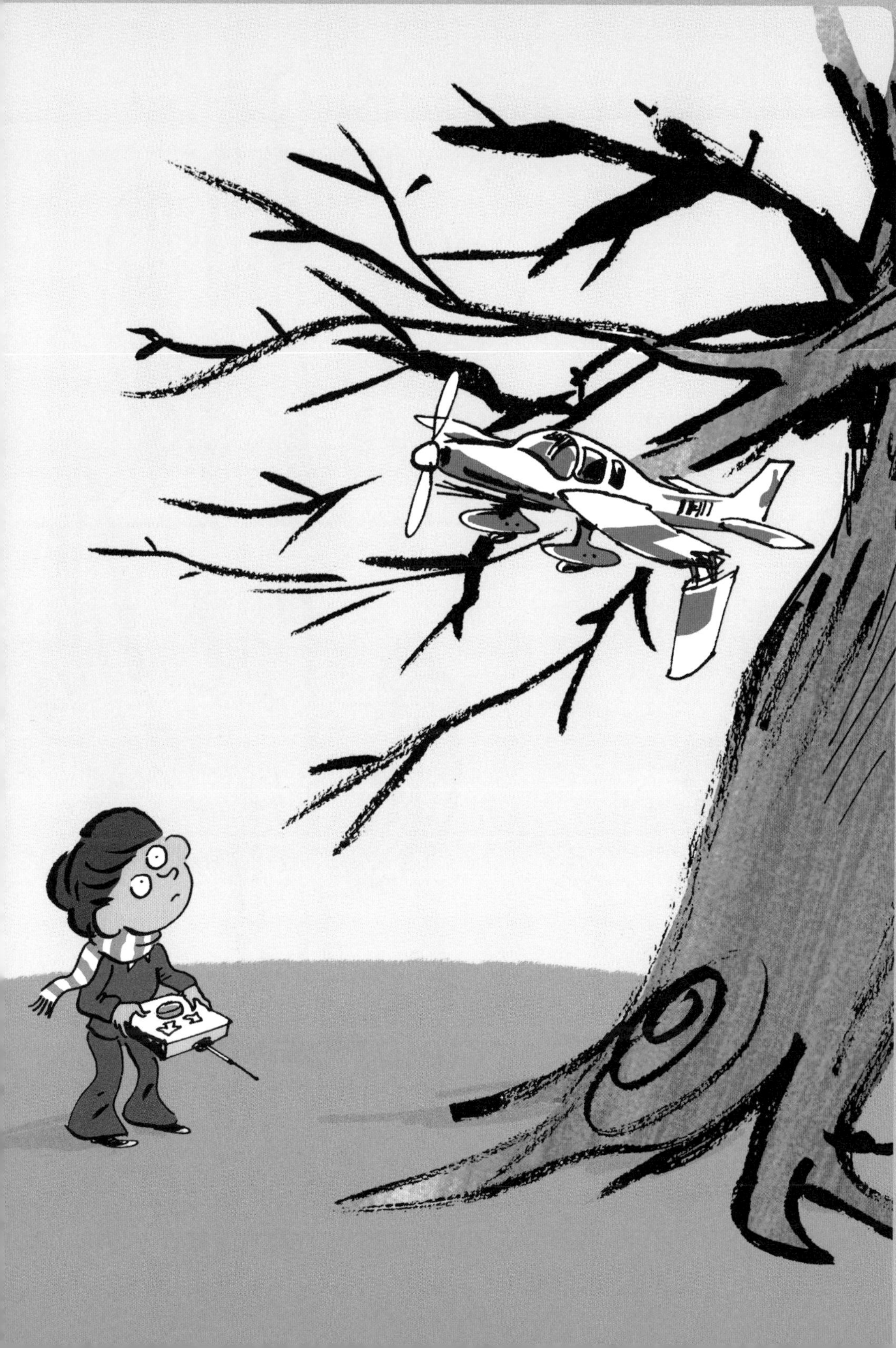

看到美好的世界、
友善的人们，我
感到幸福。

对，
可是……

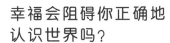

如果这个世界存在战争和饥荒，
你还会觉得世界美好吗？

幸福会阻碍你正确地
认识世界吗？

想要幸福，就必须只看到
美好的事物吗？

只有在你感到幸福时，世界
才美好吗？

我心情愉快，一切都令我微笑，因此我觉得幸福。

对，
可是……

你幸福时，偶尔也会笑不出来，对吗？

有时候，明明不幸福，但是你还得微笑，是吗？

你会取笑自己吗？

你的幸福由自己的心情来决定吗？

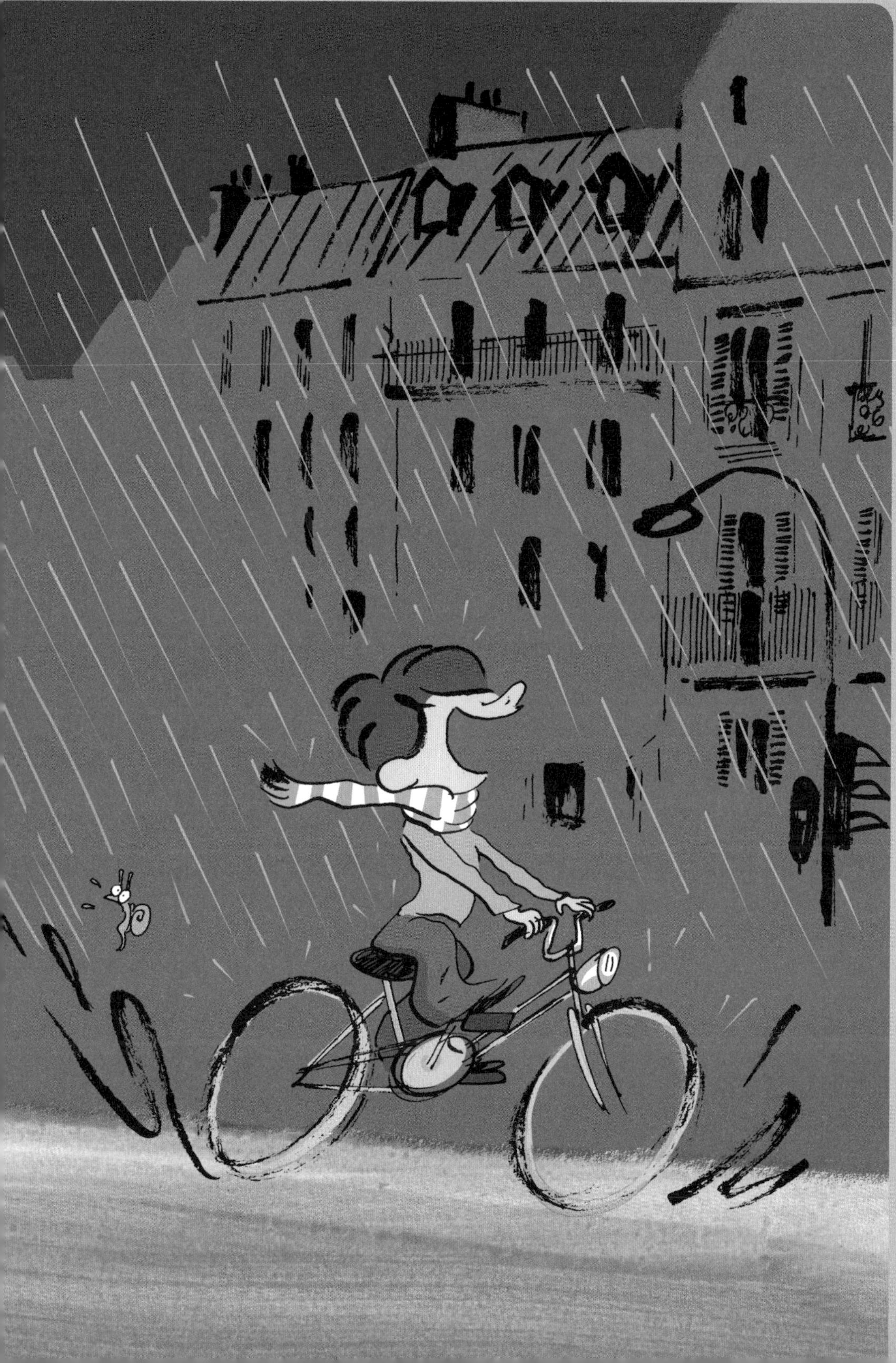

如果不再着急，你还会
追求幸福生活吗？

对自己对别人都不关心，
就是幸福吗？

不想伤心事，
也不着急，我就能
感到幸福。

我过得
好极了！

获得幸福，能够完全
避免伤心吗？

变得对任何事情都没有感
觉了，你就能幸福吗？

对你来说，是仅仅沉浸在幸福中，还是去主动了解幸福的真相呢？ 或许，你应该清楚地了解幸福，以便能够充分地享受幸福，不让它溜走。不过，幸福常常是看不见的，当幸福来临的时候，你不一定能察觉到。要试着去看到幸福，哪怕只是一个小小的主意，这也许就是幸福的开始。当你心情很好时，你会感到幸福；当你无忧无虑时，你也会感到幸福。但是，千万不要满足于这样短暂的幸福，因为真正的问题不是"幸福是什么"，而是"什么使我幸福"。

小朋友，
问这个问题，
是想告诉你……

……幸福不是永恒的。

……当幸福出现的时候，要随时去关注它，去捕捉它，去感受它。

……不论幸福与不幸，都要心平气和地面对这个世界。

你真幸福！

啊,是吗？

……有时候你也会身在福中不知福。

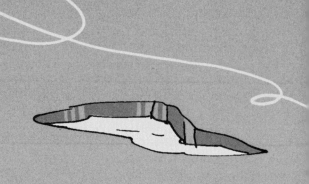

要获得幸福，
容易吗？

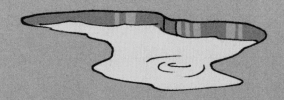

容易！因为不用
思考，满足现在，
就能幸福。

对，
可是……

当你绞尽脑汁，成功地解出一
道难题时，你觉得幸福吗？

活得像动物一样就
幸福吗？

现实的各种东西反而会阻碍
一个人得到幸福，对吗？

在长大的过程中，你总是
渴望得到新鲜的东西吗？

容易！因为我拥有许许多多自己喜爱的事物，比如踢足球、看书和吃美味的巧克力。

对，
可是……

如果你的喜好是别人的不幸呢？

对于特别喜爱的事物，
你反而容易产生不满，
对吗？

特别喜爱一个事物，会让
你忘记它的本来面目吗？

假如有一天你对自己的喜
好失去了兴趣，你会感觉
不幸吗？

不容易！因为我需要不断学习才能懂得幸福。

对，
可是……

世界上，是不是有的人
会更容易得到幸福呢？

幸福是自身拥有，还是需要
通过学习才能获得呢？

长寿的老人会比新生的
宝宝更幸福吗？

通过各种培训班的学习，
能够获得幸福吗？

容易！如果我们不忙着
找自己的幸福。

对，
可是……

不努力寻找，你能得到
自己的幸福吗？

幸福，是每个人追求
的目标吗？

将幸福给予别人，而不是独
自占有，重要吗？

是不是要先获得幸福，才能
与人分享幸福呢？

不 容 易！因 为 与 别 人 比 较，

什么都不缺少，就能
获得幸福吗？

是不是一旦比较就会让
你产生缺少感呢？

会 让 我 感 觉 不 那 么 幸 福 。

物质丰富，就能获得
幸福吗？

追求一件东西时，有时是不是
过程比结果更幸福呢？

不容易！如果容易怎么得

对，可是……

知道怎样才能幸福和如何去实现自己的幸福，哪一个比较难呢？

幸福和怎样才能幸福，一样吗？

的话，大家就都知道
到幸福了。

寻找幸福时，你会偶尔把
简单的事情搞复杂吗？

当幸福出现时，人们会毫无
察觉，从而错过幸福吗？

享受幸福时，人们往往以为获得幸福是很容易的，忘记了追寻幸福过程中的漫长与艰辛。要想到，追寻幸福有时也会让你忘记欣赏自己所拥有的，而被不能拥有的东西糟蹋了自己的心情。花太多时间去向往那些不能拥有的东西，会让你感觉生活是多么的坎坷。而且，即使现在拥有是一种幸福，也有可能因为喜新厌旧而失去原有的感觉。也许，你应该学着：忘记无法实现的愿望，把幸福建立在那些依靠自己的努力就能获得的东西之上。

小朋友，
问这个问题，
是想告诉你……

……有一天曾经
带来幸福的人、
事，也可能让你
感到不幸。

……幸福是存在的，
但是，它很脆弱。

……珍惜和把握现在的
幸福，不要被担心失去
和渴望未来所控制。

想要这个

想要那个

害怕

……幸福时时刻刻都
有可能降临到你我的
身上。

为了追求幸福，
需要
不惜一切代价吗？

当然需要！
不然我会好
错过美好
的人生。

对，
可是……

自己的人生有可能错过吗？

一个罪犯如果因为犯罪而高兴，难道他没有错过自己的人生吗？

塞翁失马，焉知非福？

人生要有意义才会幸福吗？

不必！与其寻找幸福，
不如等幸福自己降临。

对，
可是……

人们是等待幸福到来呢，
还是努力使自己成为有资
格获得幸福的人呢？

失去对幸福的渴望，人们
可以获得幸福吗？

幸福取决于人们的努力，
还是运气？

人们能强迫自己不去
寻找幸福吗？

不必！因为，我认为人必须事业有成，之后才能幸福。

对，可是……

如果你不幸福，还能成功吗？

努力工作能让人们幸福吗？

努力就一定能成功吗？

努力工作能让人们忘掉
生活中的不愉快吗？

为了追求幸福，需要不惜一切代价吗？

对，
可是……

如果别人也捉弄你，让你不
高兴，你会感到幸福吗？

打仗的士兵会感到
幸福吗？

不必！我捉弄其他人，
令他们痛苦和难受，
我就会非常高兴。

在自己高兴和做好事之间，
哪一个更重要呢？

沉浸在幸福之中的你
还会关心其他人吗？

对，
可是……

如果感到不幸，你会
成为另外一个人吗？

变成另外一个人会更幸福，
这个问题你想过吗？

你本来就"是自己"，还
是要"做自己"呢？

人是不是只有经历困难，才能
更好地发现自己呢？

为别人作出牺牲,
会幸福吗?

幸福会伴随着生活的乐
趣一起来吗?

需要！因为，如果不努力让生活充满乐趣，生活就太无聊了。

乐趣一定会让你感到幸福吗？

是！

生活中如果有痛苦的事情发生，你还能幸福吗？

多数人会认为，只有生活幸福，人生才有意义，他们才快乐。 为了得到幸福，他们有的不惜一切代价，甚至是幸灾乐祸。但是想要幸福，就一定能得到幸福吗？幸福，只回报那些高尚的人。仅仅为了得到幸福就去做一些自私的事情，难道这样就有意义吗？或许，在你努力工作、尽力做好一切、让生命有意义的不经意间，幸福会悄悄地降临。

小朋友，
问这个问题，
是想告诉你……

……不能总是想着去
寻找幸福。

……"享乐"和"幸
福"是不一样的。

……偶尔，当你忘记
自己时，你也会觉得
很幸福。

……幸福不能完全
由自己决定。

金钱
会让人幸福吗？

会！因为有钱，
饿了就能吃饱，
身体就会健康。

对，
可是……

难道你幸福的标准和其他
动物一样，别无他求吗？

呃！

吃饱喝足就是幸福吗？

有钱人就一定比穷人健康吗？

身体有病，难道就没
有幸福的时刻吗？

会！因为，金钱给我带来了自由的感觉，我可以想干什么就干什么。

对，可是……

有时候，拥有金钱反而会让人不自由，对吗？

假如你什么都不干就已经觉得很幸福呢？

金钱能给人们带来爱情、智慧、长生不老的秘诀吗？

如果你什么都不想要，会更自由吗？

扑啦!

如果他们只是因为你
有钱而尊重你呢？

乞丐与明星谁更受
人尊重呢？

会！因为有钱能让我穿漂亮衣服，受人尊重。

什么都不穿或者穿破衣服，人就一定不幸吗？

想要受人尊重，先要尊重自己，对吗？

不会！因为，我会担忧把钱弄丢，或者被人偷走。

对，可是……

穷人担忧的事情会比有钱人少吗？

金钱与安心生活相比，谁更重要呢？

应该学会与别人分享自己的金钱吗？

钱丢了，很重要吗？

不会！假如每个人都想
比别人钱多，
一定会因为钱而争吵。

对，
可是……

将钱施舍给需要的人，有时比自己
拥有更高兴，对吗？

知足者，长乐吗？

过自己的生活，不嫉
妒有钱人，是不是这
样会很快乐？

没有钱，人们也能幸福吗？

常常听说：金钱能给人带来幸福。这是因为生活中的必需品和人们喜欢的物件可以用金钱获得。人们生存和拥有地位也离不开金钱。但是，金钱也不是万能的，人不能被金钱所主宰……而且金钱还有可能使人不幸。害怕失去，害怕被盗，想拥有更多，为钱而嫉妒别人，为钱而争吵……这些都说明，钱也能毁掉幸福。不要忘记，金钱是带来幸福的一种方式，不是目的。金钱能帮助人们更容易得到幸福，而不是买来幸福。

小朋友，
问这个问题，
是想告诉你……

……不要害怕有钱，
也不要以为钱可以
买到一切。

……仅仅有物质上的东西
不能带来幸福。

……人的欲望是无穷无尽的。

……钱能买来东西，也
能让它们失去。

金钱

别人能使你幸福吗？

能！因为，获得别人给予的爱是最幸福的！

对，
可是……

爱能做到不嫉妒别人，或者不
担心失去吗？

如果丢掉爱，你还能幸福吗？

在爱别人之前，应该要先
爱自己，对吗？

爱你的人总是希望你能幸福，
对吗？

不能！因为，当我不高兴的时候，别人不能帮我。

对，
可是……

当别人不高兴的时候，你会帮助他吗？

有时候，你是不是更希望在不高兴时，独自一人静一静呢？

不高兴的时候，你总是希望别人来帮你吗？

不高兴的时候，你的爸妈、朋友都会来安慰你，对吗？

对,
可是……

如果别人夸奖你,是因
为你做了坏事呢?

只看别人的眼色生活会幸福吗?

高人一等的感觉是幸福吗?

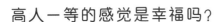

过去

有时候,承认自己的缺点
也能获得幸福,对吗?

帮助别人、令别人高兴，是为了获得他们对你的感谢吗？

每时每刻，你都喜欢帮助身边的每一个人吗？

如果其他人不来帮助你，你还会去帮他吗？

被人需要的感觉是一种幸福吗？

不能！因为，我更喜欢独自玩电脑，省得别人把它弄坏了。

当你和其他小朋友一起玩的时候，从来没觉得高兴吗？

当其他小朋友不带你一块儿玩的时候，你高兴吗？

其他小朋友也能教给你更有
意思的电脑游戏，对吗？

学会相信别人，你才能获
得幸福吗？

　　一般来说，孤独是最可怕的。人们需要和别人相处，需要被别人喜欢、夸奖，这样才会觉得高兴。一个人时，你偶尔会觉得闷闷不乐，希望别人来帮助你，听你说话，甚至来安慰你。不过，独自一个人，或者不被人理解也是常有的事。如果因此就说别人过于自私，那么有这样想法的你也是自私的。想一想，有时候你是不是过于在意别人的眼光呢？别人不能代替你生活，不能代替你伤心。想从与别人的相处中得到幸福，先要知道：像别人给予自己帮助一样，你也需要帮助别人。

小朋友，
问这个问题，
是想告诉你……

……有些时候，一个人
待着也很好。

……想要别人爱你，就
要先学会爱别人。

……包容别人和你的不同之处。因为从别
人的角度来看，你和他们也不同。

……学会这样生活：在别
人的眼光中生活，忽略别
人的眼光来生活。

别
人

因为，我
有一天我

对，
可是……

知道有一天我们都会死，我们才应该
好好地生活，珍惜每一天，不对吗？

我们能不能以轻松的心态
来看待死亡呢？

们不能决定自己的人生，
们都会死。

人的一生和死亡，真的什么
都不能由自己决定吗？

既然人生和死亡不能决定，是不
是每个人都要接受这个现实呢？

不幸

因为，我们偶尔会
后悔和担忧未来

未知的将来会不会给我们
带来很多的希望呢?

很多时候，我们的命运都是
注定的吗?

我们还要害怕生活在
现在吗?

做了错事，能不能帮助我们以后不再
犯同样的错误，从而更好地生活呢?

因为，我们什么都想要，马上就想要，而且不想失去。

对，可是……

为什么我们这么着急，想马上得到想要的一切呢？

什么都不想要，什么都不喜欢才会幸福吗？

不急于求成，按部就班地做事就会觉得幸福吗？

在失去的时候，还要保持好心情，才能幸福吗？

因为，我们的心情和
想法总是在改变。

对，
可是……

多一些不一样的人和事，生活
不是更有趣吗？

不相信一件事情后，就需要
改变自己的想法，对吗？

谁能决定我们改变自己
的心情和想法呢？

这些改变能帮我们成长，对吗？

对，
可是……

现实生活中发生的事，有时候
不是比我们所梦想的还好吗？

梦想能帮助我们在现实生活
中暂时放松吗？

因 为 现 实 生 活 中，
我 的 梦 想 不 能 全 部 实 现。

梦想和现实生活，我们应该
改变哪一个呢？

梦想给我们提供了一个努力
去实现的目标，对吗？

因为世界是不公平的，
有的人很不幸。

对，
可是……

你能不在这个世界生活吗？

有希望，世界就会变得更好吗？

为不幸的人而伤心，不幸的人就能变得幸福吗？

生活在这个世界上的你对这个世界也有影响，对吗？

不幸

我们经常觉得，自己什么都错过了，所以感觉很不幸福。我们偶尔也会任性、浪费时间、改变心情，我们还害怕自己所不确定的未来，害怕受苦和死亡。我们不想失去自己拥有的东西，而且还不停地想要得到更新、更想要的东西，所以经常会失望。因为，我们有时候并不知道自己究竟想要什么。有时候，我们真的很难过，世界看起来都变得灰蒙蒙的，这时候我们很容易就会觉得生活真糟糕，像地狱一样。我们还会经常沉迷在不可能实现的梦想里，因为很难去面对现实。

小朋友，
问这个问题，
是想告诉你……

……一时的不幸不会让
你永远得不到幸福。

……我们看到的世界就
是这个样子的。

……能改变的事情，和
必须做的事情，是不一
样的。

……生活，就是不停地冒险。

不
幸

关于作者：

奥斯卡·柏尼菲

　　一位哲学博士和师资培训人，更是一位畅销童书作家。他在世界各地建立了哲学工作室，推广成人与儿童哲学智慧课程。其哲学作品畅销世界各地，教育思想惠及二十多个国家的普通大众。

　　其出版的作品从内容丰富的儿童图画书到教学工具书，每部作品都能与读者产生良好的共鸣，引导大人（家长、老师）以开放的态度面对孩子的问题，同时能和孩子进行思考性的对话。其教育理念是为教育界注入多元性的人文哲思，让孩子更有创造力与探索精神。